Cwmwl Cai

Nia Parry

Lluniau gan **Gwen Millward**

Gomer

I Hedd a Tirion, sy'n fy ysbrydoli bob dydd.
xx

Diolch i Meirion, Marc, Gary, Anwen, Gwenan a Victoria
am eu cymorth ac arweiniad. Gwaith tîm ar ei orau!

Cyhoeddwyd gyntaf yn 2019 gan Wasg Gomer,
Llandysul, Ceredigion SA44 4JL
www.gomer.co.uk

ISBN 978 1 78562 297 7

Ⓟ testun: Nia Parry, 2019 ©
Ⓟ lluniau: Gwen Millward, 2019 ©

Mae Nia Parry a Gwen Millward
wedi datgan eu hawl dan Ddeddf Hawlfreintiau,
Dyluniadau a Phatentau 1988 i gael eu cydnabod
fel awdur ac arlunydd y llyfr hwn.

Cyhoeddwyd gyda chymorth ariannol
Cyngor Llyfrau Cymru.

Argraffwyd a rhwymwyd yng Nghymru gan Wasg Gomer,
Llandysul, Ceredigion SA44 4JL

**Nodyn i Mam a Dad, Nain a Taid, Mam-gu
a Tad-cu, neu'r sawl sy'n cyd-ddarllen y llyfr hwn ...**

Mae'r technegau llonyddu ac ymdawelu yn y llyfr yn seiliedig ar ddulliau sy'n dod o faes ymwybyddiaeth ofalgar (*mindfulness*).

Mae ymwybyddiaeth ofalgar yn gymorth i ni dawelu'r corff a'r meddwl. Drwy wneud ymarferion fel y rhai yn y llyfr hwn rydyn ni'n tynnu ein sylw at y presennol. Rydyn ni'n derbyn yn dawel bod ein holl deimladau, synhwyrau a meddyliau yn dal i fod yno, ond drwy gadw'r ffocws ar y foment hon mewn amser mae modd ymdawelu a llonyddu. Mae'n gallu bod yn ddull defnyddiol iawn i blant ac oedolion sy'n pryderu neu sydd dan straen.

Ar ôl deffro yn y bore, weithiau mae
Cai yn teimlo'n heulog ac yn ysgafn,
fel petai'n gallu neidio o un cwmwl
fflwffiog mawr gwyn i'r llall.

4

Dro arall mae Cai yn teimlo'n drwm.
Yn drwm fel eliffant.

Pan mae'r teimlad hwn yn dod mae Cai yn estyn am y glob gliter sydd wrth ei wely ac yn ei hysgwyd â'i ddwy law.

Wrth iddo wylio'r gliter lliwgar yn disgyn i waelod y glob yn araf mae meddyliau Cai hefyd yn tawelu a setlo fel y gliter.

6

Wrth gerdded i'r ysgol efo Dad, weithiau mae Cai
yn teimlo'n fywiog, fel petai'n medru bownsio'n
uchel ar drampolîn a chyffwrdd yr haul.

Dro arall, mae'n teimlo fel bod 'na ryw gwmwl
llwyd, llawn glaw yn ei ddilyn i bob man.

Pan mae'r teimlad hwn yn dod mae Cai yn estyn am law ei dad. Mae'n rhedeg ei fysedd i fyny ac i lawr holl fysedd llaw ei dad, o'r bawd i'r bys bach, gan sylwi ar siâp a theimlad y croen. Mae hyn yn help i'r cwmwl symud gyda'r awel.

Yn y dosbarth, weithiau mae Cai yn gallu canolbwyntio ar ei waith ysgol heb unrhyw drafferth. Mae Cai yn clywed a deall popeth mae'r athrawes yn ei ddweud ac mae wrth ei fodd yn codi ei law i ateb cwestiynau.

Dro arall, mae Cai yn teimlo fel bod ei ben yn y niwl a'i lygaid yn llawn cymylau. A phan mae'r athrawes yn dweud ei enw mae'n teimlo ei galon yn curo'n gyflym fel drwm yn ei frest.

Pan mae'r teimlad hwn yn dod mae Cai yn gosod ei draed yn gadarn ar y llawr ac yn teimlo ei gefn yn syth yn erbyn cefn y gadair. Mae o'n edrych allan drwy'r ffenest ac yn dilyn amlinelliad y mynyddoedd, ac mae hyn yn help iddo weld yn gliriach.

Yn y ffreutur amser cinio, weithiau mae Cai yn sgwrsio
ac yn bwyta am yn ail heb unrhyw bryder yn y byd.

Dro arall, mae Cai yn teimlo fel bod cenllysg yn curo yn ei glustiau ac mae o eisiau rhedeg o'r stafell sy'n llawn plant a sŵn a bwrlwm.

Pan mae'r teimlad hwn yn dod mae Cai yn agor ei focs bwyd ac yn brathu i ganol ei frechdan gaws blasus a theimlo'r hadau bach yn y bara brown ar ei dafod. Mae o'n cnoi ei ginio yn araf ac mae hyn yn help iddo lonyddu.

Weithiau mae Cai yn teimlo'n gynnes braf wrth
chwerthin a chwarae efo'i ffrindiau ar yr iard.

Dro arall, mae o'n teimlo'n oer ac eisiau rholio
yn belen fach gron a chuddio rhag y byd.

Pan mae'r teimlad hwn yn dod mae Cai yn sefyll
yn dawel wrth y dderwen fawr ar iard yr ysgol,
gan syllu ar risgl y goeden a sylwi ar y siapiau,
ac mae hyn yn help iddo dawelu.

Weithiau mae Cai yn cicio pêl,
neu'n tynnu llun neu'n gwylio'r
teledu, heb boen yn y byd.

Dro arall, mae o'n teimlo'n stormus tu mewn. Mae o'n poeni am bopeth. Mae o hyd yn oed yn poeni am y ffaith ei fod o'n poeni.

Pan mae'r teimlad hwn yn dod mae Cai yn talu sylw i'r aroglau o'i gwmpas – gwair sydd newydd ei dorri, blodau yn y parc, persawr Mam, swper yn y popty – ac mae hyn yn help iddo dalu sylw i'r ffordd y mae'n anadlu.

Weithiau, wrth fynd i'w wely, mae
Cai yn llithro i drwmgwsg braf.

Dro arall wrth geisio mynd i gysgu, mae'n teimlo fel bod morgrug yn ei ben, a geiriau a rhestri a syniadau a wynebau a lleisiau yn gwibio o un ochr i'r llall, fel cyfrifiadur mawr.

$$5 \times 5 = ?$$
$$8 \times 6 = ?$$

Pan mae'r teimlad hwn yn dod, mae Cai yn anadlu'n ddwfn i mewn trwy ei drwyn ac yn cyfri

1 ... 2 ... 3 ...

ac allan trwy ei geg

1 ... 2 ... 3 ... 4 ... 5 ...

Mae o'n rhoi ei hoff degan ar ei fol ac yn ei wylio'n mynd i fyny ac i lawr gyda phob anadliad. Mae hyn yn help iddo dalu sylw i'r ffordd y mae'n anadlu.

Weithiau mae o'n dychmygu bod ei fam yn tynnu'r plwg allan o'r wal ac yn diffodd y cyfrifiadur am dipyn, ac mae hynny'n tawelu'r meddyliau.

Wyt ti weithiau'n teimlo fel Cai?

Wyt ti'n teimlo'n drwm fel eliffant?
Oes cwmwl llwyd, llawn glaw yn dy ddilyn i bobman?
Oes cenllysg yn curo yn dy glustiau?
Ydy dy galon yn curo fel drwm yn dy frest?
Wyt ti'n teimlo'n oer ac eisiau rholio'n belen a chuddio?
Wyt ti'n teimlo'n stormus y tu mewn?
Oes morgrug yn dy ben?
Wyt ti weithiau yn poeni am bethau?

Wel, cofia ...

Gelli di wneud fel mae Cai yn ei wneud:

Rho dy ddwylo ar dy fol ...
ac anadla.

I mewn trwy dy drwyn
1 ... 2 ... 3 ...

ac allan trwy dy geg
1 ... 2 ... 3 ... 4 ... 5 ...
Yn araf.

TU 18/2120

CYDNABYDDIAETHAU

Dilysir y llyfr hwn gan arbenigwyr o'r maes ymwybyddiaeth ofalgar. Diolch o galon am eu cymorth, arweiniad a chefnogaeth.

Gwenan Mair Roberts MSc MA MRCSLT

Mae gan Gwenan gymhwyster ôl-radd mewn Ymwybyddiaeth Ofalgar ynghyd â MA mewn Agweddau yn Ymwneud ag Ymwybyddiaeth Ofalgar, o Brifysgol Cymru Bangor. Mae hi'n dysgu cyrsiau Ymwybyddiaeth Ofalgar yn y gweithle ac i rieni, plant a phobl ifanc gydag anghenion ychwanegol.

Dr. Victoria Galbraith DPsych MSc CPsychol AFBPsS FHEA

Mae Dr Victoria Galbraith yn Seicolegydd Cwnsela Cofrestredig o ogledd Cymru sy'n gweithio gydag oedolion a phlant yn swydd Amwythig a swydd Henffordd. Ar ôl derbyn hyfforddiant ymwybyddiaeth ofalgar gyda Phrifysgol Cymru Bangor, Breathworks a'r Prosiect Ymwybyddiaeth Ofalgar mewn Ysgolion, mae ganddi ddiddordeb arbennig mewn hwyluso ymwybyddiaeth ofalgar ymysg oedolion a phlant. Mae wedi cael Cymrodoriaeth o'r Academi Addysg Uwch am ei gwaith yn y maes.